La CAMARGUE

To Bob.

Bruu

X

Par le soutien qu'elle apporte aux actions du Conservatoire du littoral,
la Fondation Électricité de France s'attache à mieux faire connaître
au grand public les richesses du patrimoine naturel.
Dans cet esprit, la Fondation contribue à la réalisation
des *Carnets du littoral*.

Collection dirigée par Françoise Chabbert et Dominique Legrain
Conseiller artistique : Frédéric Bony

© Gallimard Loisirs 1997
Tous droits de reproduction et d'adaptation réservés pour tous les pays
ISBN : 2-07-050973-7
Numéro d'édition : 134231
1er dépôt légal : novembre 1997
Dépôt légal : janvier 2005
Gravure : Lithonova (Turin). Impression Editoriale Lloyd (Trieste)

La CAMARGUE

Carnets du Littoral

Bruce PEARSON

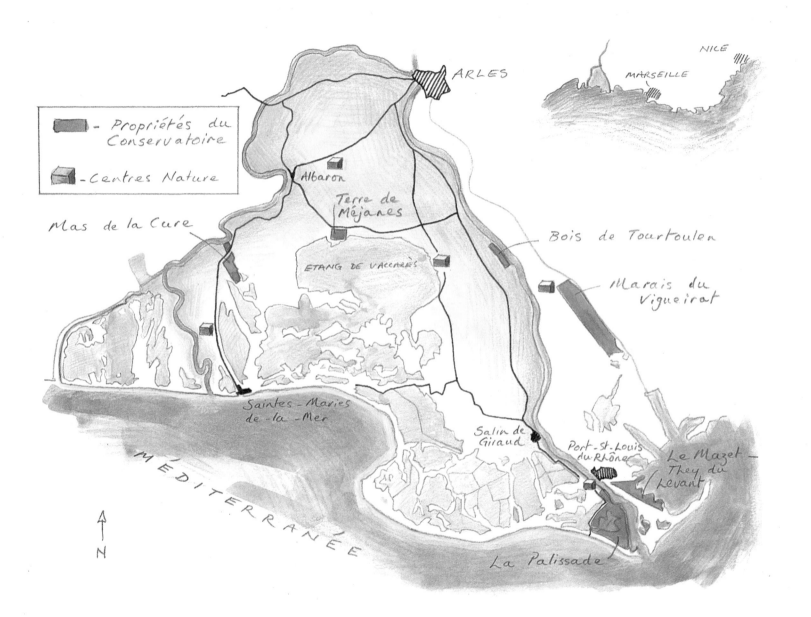

ARLES

NICE

MARSEILLE

Propriétés du Conservatoire

Centres Nature

Mas de la Cure

Albaron

Terre de Méjanes

Bois de Tourtoulen

ETANG DE VACCARÈS

Marais du Vigueirat

Saintes-Maries de-la-Mer

MÉDITERRANÉE

N

Salin de Giraud

Port-St-Louis du-Rhône

Le Mazet Theys du Levant

La Palissade

La Camargue est connue pour la très grande variété d'oiseaux qu'elle accueille. Les flamants roses sont sans doute les plus emblématiques.

De prime abord, la Camargue apparaît comme une étendue vierge et sauvage ; elle a en fait été complètement aménagée par l'homme.

Les Marais du Vigueirat 2/Novembre/96.

Ces oiseaux sont crépusculaires
et se nourrissent de nuit, mais
également de jour si nécessaire. D'habitude ils passent les
heures chaudes cachés au plus profond du couvert végétal
comme celui-ci.

Bihoreau gris (et lever de lune) au Vigueirat (7.xi.96)
Toutes les espèces de hérons européens nichent au Vigueirat.

Les libellules sont difficiles à identifier du fait de leur petite taille et de leur vol rapide et capricieux.

Il faut de la patience pour observer leurs comportements...

... tout comme les chauves-souris à la tombée de la nuit!

Pipit farlouse

Un satyre (papillon) dans la
lumière du soir.

A droite, un
nuage de chironomes mou
et descend en tourbillonnau

chaque nuage est composé exclusivement de mâles.
Les femelles traversent la colonne pour être fertilisées
au passage !

Butor étoilé
s'elevant des marais
du Vigueirat — soirée
de novembre.

Les salins près de la Palissade donnent
l'impression d'un paysage nu et
rugueux, mais quelque chose
attire l'œil tout à coup : un
faucon crécerelle en chasse.

La Palissade - Bécasseaux
variables et gravelots à
collier interrompu, dans
l'intense lumière du
Midi, réverbérée par
le sel et l'eau.

J'ai voulu faire un dessin d'une prise de pêche. Tous les poissons ressemblaient à des sardines !

Les pêcheurs de Camargue ne sont jamais seuls.
Une multitude de mouettes et de goélands volent autour
des embarcations et lorsqu' elles sont de retour sur le
rivage, ce sont les hérons et les aigrettes qui arrivent.

Martin-pêcheur d'Europe
Un pêcheur expert !

Les eaux saumâtres de
Camargue hébergent des
poissons que l'on retrouve
également en mer :
mulet cabot, gobie, alie, loup.

Héron cendré.

GRÈBE À COU NOIR

La Camargue est aussi un lieu de halte pour des millions
d'oiseaux migrateurs en route vers l'Afrique.

Ils viennent du nord et de
l'est de la France ou de
l'Europe, pour passer
l'hiver sur les
eaux libres
des étangs.

ÉTANG DU VACCARÈS

Après la pêche, les grands cormorans cherchent un
endroit pour digérer. Ils se nettoient les plumes
et se font sécher en écartant leurs ailes
au soleil.

Couper les roseaux
pour la confection des
toits est une
pratique ancienne,
importante pour la
"santé" du marais.

Ici, j'ai été attiré par les lignes et
les volumes des roseaux empilés.

CABANES

Les cabanes étaient autrefois utilisées par les
gardians et les gens travaillant dans le marais.
          Leur architecture conjugue élégance et
recherche harmonieuse des formes pour se fondre
                    dans le paysage.

Chevalier culblanc et aigrette garzette.
They du Mozet (20. IV. 97)

Une aigrette garzette en pêche.

Parfois comme ici, elle court dans l'eau
en donnant des coups de bec de droite
et de gauche, avec l'élégance d'une
danseuse.

La Camargue reste un haut-lieu de tourisme où les gens viennent chercher la présence des oiseaux, des plages et une certaine nature sauvage.

OUVERT

PROMENADE À CHEVAL, PONT DE GAU

L'animal le plus fameux de Camargue est sans
nul doute le cheval .....

.... qu'il soit dressé pour les besoins du tourisme
ou utilisé par les gardians pour conduire
les manades.

Les guifettes moustacs pêchent au dessus des rizières.

RIZIÈRES

faucon pèlerin
poursuivant des
limicoles.

Sterne Hansel

Les rizières sont alimentées
en eau grâce à de petits
canaux, les roubines.

Les taureaux sont
indispensables à l'équilibre
des marais. Ils mangent des
roseaux qui sinon devraient
être fauchés mécaniquement
Les bouses qu'ils laissent
fertilisent
le sol.

Il est toujours
difficile de voir
un serpent.

Il vous a repéré
bien avant vous et
s'est furtivement
éclipsé. On aura
donc plus de chances
d'en observer un dans les
serres ou le bec d'un
circaète Jean-le-Blanc.

Tout animal qui pâture dans un marais a son héron
garde-bœufs à côté de lui, se nourrissant des insectes
que l'animal lève
sur son
passage.

Il est toujours utile d'avoir avec soi en Camargue des guides d'identification pour les oiseaux, les fleurs et les insectes.

Mais vous ne trouverez pas ce mâle de busard cendré âgé de 1 an dans un guide.

Je l'ai observé tandis
qu'il exécutait
avec frénésie
une pirouette
au-dessus d'un
buisson pour
déloger une proie
qui venait de
s'y cacher.

Ces oiseaux exotiques reviennent
chaque printemps du continent noir
et sont appelés petits chasseurs
d'Afrique.

Ils sont accompagnés des
martinets noirs, au plumage sobre.

J'ai souvent entendu des touristes
montrer des ragondins et dire:
" regarde, une loutre!"

Mais la loutre a probablement
disparu de Camargue (ou alors
y est très rare), en grande
partie à cause de la pollution.

Le ragondin est un gros rongeur adopté à la vie
aquatique, originaire d'Amérique et qui a été
introduit autrefois en Europe.

FLAMANTS ROSES

c'est L'OISEAU de Camargue —
c'est lui que tout le monde vient
voir !

Un rassemblement d'avocettes et des flamants (They du Mozel)
23.11.97

Rien n'est jamais figé dans la nature et cela
semble particulièrement vrai en camargue.

Il y a toujours du vent ici pour courber les arbres et les herbes
et rider la surface de l'eau. Les lumières changent au cours
de la journée en même temps que passent les nuages. Le
oiseaux changent également avec les saisons. La Camargue
est en perpétuel mouvement.

c'est le printemps !

— accouplement d'échasses

— passage de
proie chez les
busards des
roseaux.

— accouplement de
flamants roses.

Il y a ça et là des havres
de tranquillité où la
végétation surplombe les
eaux calmes.

C'est un canal qui fut creusé au
moyen âge dans le but de drainer les marais.
Heureusement sans succès ! Des siècles plus
tard il a été acheté par le Conservatoire pour protéger
tous les marais alentour.

faucon hobereau

Pour l'instant, la plage
est vide mais dans quelques
semaines, elle sera bondée
de touristes. Combien
de gens réaliseront alors,
que derrière eux
s'étend un vrai paradis
sauvage, une part de
l'héritage naturel de
l'Europe?

Le Conservatoire de l'espace littoral et des rivages lacustres est un établissement public de l'Etat.
Créé par une loi du 10 juillet 1975, il a pour mission d'assurer la protection définitive des espaces naturels maritimes et lacustres fragiles ou menacés. Fin 1997, le Conservatoire avait acquis 51 000 hectares, soit 380 sites répartis sur 705 km de rivages.Bois, marais, landes, vasières, dunes, îles, îlots, falaises, ces terrains font partie du patrimoine national; inaliénables, ils seront transmis intacts aux générations futures.
Ouverts au public, ils offrent des espaces de liberté où chacun, entre terre et mer, peut se promener à sa guise, à la découverte de paysages préservés.
Le Conservatoire du littoral protège 10 000 hectares en Provence et 2000 hectares en Camargue : étangs, roselières, prairies et bois où pâturent chevaux et taureaux, où volent canards, hérons et flamants.
Il s'agit notamment des Marais du Vigueirat, du domaine de la Palissade, du Mas de la Cure...
Gérés par les communes d'Arles et des Saintes-Maries-de-la-Mer, avec l'appui technique de la Fondation Sansouire à la Tour du Valat et du Parc naturel régional de Camargue et le concours financier du département des Bouches-du-Rhône et de la région Provence-Alpes-Côte d'Azur, ces sites offrent aux visiteurs la possibilité de découvrir le monde clos et mystérieux de la Camargue.

Le Conservatoire, présent sur toutes les côtes de France est habilité à recevoir tous dons et legs.
Les dons, intégralement consacrés à la protection des espaces naturels fragiles ou menacés, doivent être adressés par chèque bancaire ou postal à «Fondation de France-Conservatoire du littoral», Corderie Royale, 17306 Rochefort.